SHEEKOOYINKII BOQORADDII ARRAWEELO

THE STORIES OF QUEEN ARRAWEELO

Mohammed Sh. Hassan

(Other books published by Scansom Publishers)

1. *Diiwaanka maahmaahyada soomaaliyeed*, 1997kii.
2. Diiwaanka heesaha Soomaaliyeed (caddadka 1aad) 1997kii
3. Diiwaanka gabayada Soomaaliyeed (Gurmad caddadka 1aad) 1997kii.
4. Diiwaanka gabayada Soomaaliyeed (Gurmad caddadka 2aad) 1998kii.
5. Diiwaanka heesaha Soomaaliyeed (caddadka 2aad) 1999kii.
6. Silsiladda Guba 1999kii.
7. Diiwaanka Gabayada Soomaaliyeed(Gurmad caddadka 3aad) 1999.
8. Tarbiyada Wanaagsan ee Carruurta 2000
9. Higgaad iyo Farbarasho 2000
10. Sheeko baraleey 2000
11. Qaamuuska magacyada Soomaaliyeed 2001
12. Diiwaanka Heesaha Soomaaliyeed (caddadka 3aad) 2001
13. Diiwaanka Gabayada Gurmad(caddadka 4aad 2001)
14. Sheekooyinkii Cigaal Shidaad 2002

ISBN 91- 972-411-0-5

2nd edition (daabacaadda 2aad), March 2002

Arts and illustrations by : Cabdi C. Ibraahim

Published by :   **SCANSOM PUBLISHERS**
BOX 6118
175 06 Järfälla
STOCKHOLM, SWEDEN
Fax: 46 8- 58360647

E-Mail: scansom@ hotmail.com

E-mail: scansom@canada.com

INTRODUCTION

Queen Arraweelo and laday Dhegdheer are the two most popular in the Somali oral literature. Their stories are told and retold in many regions of Somalia in different versions but they all have a central theme which is the fantastic adventure and predominance of these two great female characters. Their stories were passed from generation to generation and still remain popular and unchallenged. Many Somalis believe that the stories of queen Arraweelo were legendary tales created by a popular fantasy over the centuries, while many others still believe that the Queen Arraweelo did actually live and rule a greater part of Somalia. Whatever these differences are queen Arraweelo still remains unchallenged in the modern Somali oral literature. The first edition of this book was financed by the Swedish National Council for Cultural Affairs in 1994.

Mohammed Sh. Hassan, *Stockholm, March 2002*

HORDHAC

Sida suugaanta Soomaalidu sheegayso Arraweelo iyo Dhegdheer waxay ahaayeen laba dumar ah oo aad caan uga ahaan jiray bulsho weynta Soomaalida waxaana sheekooyinkooda iyo suugaantooda laga yaqaanna gobollo badan oo ka mid ah dalka Soomaalida. Sheekooyinkooda waxaa loo tebiyaa siyaabo kala duwan waxayna tilmaan fiican ka bixiyaan kartida iyo awoodda dheeraadka ah ee labadaas dumar lahaan jireen. Sheekooyinkooda faca weyn waxaa la isu soo gudbin jiray muddo aad u dheer oo gaaraysa qarniyo ilaa iyo xilliga maanta aan joogno oo ah sannadka 2002. Sheekooyinkoodu waxay weli ku jiraan safka hore waxaana weli loo xiiseeyaa si ba'an. Dad badan waxay aaminsan yihiin in Arraweelo ahayd qof aan jirin ee dadku iska samaysteen, qaar kalena waxay rumaysanyihiin in Arraweelo ahayd boqorad jiri jirtay oo u talin jirtay gobollo badan oo dalka Soomaaliya ka mid ah. Khilaafku siduu doono ha ahaadee, suugaantooda ilaa iyo hadda waxay ka mid yihiin kuwa ugu caansan suugaanta aan qornayn ee ku baahsan bulsho weynta Soomaalida. Waxaan mahad ballaaran u celinayaa dhammaan dadkii gacan igu siiyey soo saaridda buuggan gaar ahaan qoraagii weynaa Axmed Cartan Xaange(Eebbe naxariis janno ha siiyee) oo si fiican u soo uruiyey sheekooyinka Arraweelo iyo Pirkko Wergenius oo gacan fiican ka geysatay soo saaridda buugan daabacaadiisa 1aad 1994tii.

Maxamad Sh. Xasan

RAADRAAC
(REFERENCE AND BIBLIOGRAPHY)

1. ***Waxaa La Yidhi, Sheekooyin Hidde ah***. Waxaa soo ururiyey G.L. Kabjits. Waxaa soo saaray Omimee intercultural publishers 1996. Daabacaadda 1aad.

2. ***Sheekoxariirooyin Soomaaliyeed (Folktales from Somalia***) waxaa soo ururiyey Axmad Cartan Xaange (Eebbe Naxariis Janno ha siiyee). Waxaa lagu daabacay dalka Sweden 1988.

3. ***Sheekooyinkii Boqoraddii Arraweelo***. Waxaa soo ururiyey isla qoraha buuggan waxaa daabacday shirkadda Scansom Publishers. Waxaa lagu daabcay dalka Sweden 1994kii.

4. Suugaan aan qornayn oo badan kuna baahsan bulshoweynta Soomaaliyeed ee gaar ahaan ku dhaqan dalka dibeddiisa.

5. Suugaan ku kala duuban Cajalado badan

Taallo Tiiriyaad (Xujuubkii Arraweelo)

Sida la sheegay Boqoraadda Arraweelo waxay ahaan jirtay haweenay aad u karti badan oo damac weyn, waxayna aad u jeclayd inay qayb libaax ka qaadata arrimaha iyo go'aannada culus ee bulshada aayaheeda lagu gorfeeyo. Waxay aad uga hanweynaday inay noqoto hooyo ilmaheeda daryeesha oo ku ekaata gurigeeda xilligii ay noolayd oo aad uga duwanaa kan maanta aan ku noolahay. Arraweelleo hooyadeed waxaa la oran jiray Haramaanyo laakin lama warin magaca aabbaheed. Boqoradda Arraweelo waxay xilliyada gu'ga iyo xagaaga reerka u rari jirtay magaalada la yiraahdo Ceelaayo oo ku taalla dhinaca xeebta badda cas ee gobolada waqooyi-bariga Soomaliya. Degaankaas waxaa ku taalla meel loo yaqaan (Jeexii Arraweelo) oo macnaheedu yahay dooxadii Arraweelo, taasoo u dhow magaalada Ceelaayo. Agagaarka Ceelaayo waxaa ku taalla buur yar oo ka samaysan taallo dhagaxyo la tuuray oo loo yaqaan "Taallo Tiiriyaad ama "Xujuubkii Arraweelo".

Marka raggu buurtaas ay agmarayaan waxay ku tuuraan dhawr dhagax waxayna u raaciyaan habaar iyo inkaar iyagoo muujinaya nacaybka ay u qabaan Arraweelo. Waxay xusaan cadaadiskii ay

ragga soo marisay xilligii ay noolayd . Waxyaabaha foosha xun ay samayn jirtay waxaa ka mid ahaa inay ragga dhufaani jirtay inta xiniinyaha ka bixiso si ayna waxba u dhalin. Sidoo kale waxay dumarku saaraan taallada Arraweelo ubaxyo qoyan iyo caleemo cagaaran iyagoo u haya xushmad, qaddarin iyo kalgacayl. Waxayna xusaan boqoradda kartida iyo awoodda lahaan jirtay muddada dheer. Gobollada ay Arraweelo aad caanka uga ahaan jirtay waa gobollada hadda loo yaqaan Nugaal iyo Sanaag.

Arraweello iyo dhufaankii ragga

Waxaa xilliyadii hore dhaqanka Soomaalida ka mid ahaan jiray in ragga inta badan talada bulshada gacanta ku hayn jireen. Go'aannada culus ee ayaaha bulshada waxaa taladeeda inta badan lahaan jirtay ragga. Arrimahaas raggu qaybta libaax ka qaataan waxaa ka mid ahaan jiray arrimaha siyaasadda, dhaqaalaha, dagaalka iyo qaar kale oo badan. Sida caadadu ahaan jirtay dumarku waxay u badnaan jireen xannaanada carruurta iyo arrimaha guriga. Xilligaas ayaa waxaa qoys u dhalaty gabar aad u qurux badnayd. Waalidkeed waxay gabadhaas u bixiyeen (Arraweelo). Markii ay gabadhii kortay oo ay qaan gaar noqotay waxaa soo doonay rag badan oo guurkeeda ku tartamay. Arraweelo waxay ahayd gabar aad u quruxbadnayd ugu dambayntiina wuxuu aabbaheed siiyey nin xoolo iyo yarad badan ka bixiyey. Sida la sheegay Arraweelo ma aysan jeclayn hawsha haweenku qabto sida xannaanada carruuta iyo hawsha guriga, waxay aad u jeclayd inay qayb fiican ka qaadato arrimaha bulshada iyo go'aannada culus sida garta geedka lagu falanqayn jiray iyo arrimaha dagaalka ku saabsan. Waxaa kale oo ay aad u jeclayd inay dagaalka ka qayb qaadato oo ragga wax la qaybsato. Arrimahaas iyo hankaas weyn waxay isaga horyimaadeen ninkeedii oo u tusaaleeyey in hawlahaas ragga keliya ay iska leeyihiin dumarkuna door kale leeyihiin loogana baahanyahay inay marka hore doorkeeda

haweennimo ka soo baxdo. Waxay ninkeedii ugu jawaabtay, " Dumarku hawlahaas oo dhan way qaban karaan ee ayaa ragga dhaxaltooyo u siiyey arrimaha bulshada". Waxay intaas u raacisay inay ragga ka buuxaan odayo wax matarayaal ah oo aan meelna buuxin kari Waxy dhawr jeer weydisay nin' 'a, " Maxaa loogu diidayaa dumarka rtida leh inay ka qayb galaan shirark da beesha oo weliba beddelaan da nacasyada ah qaarkood?". Arr lo ninkeedu wuxuu la yaabay hanka damaca ku jira xaaskiisa nasiibdarro uusan ka waanin karu Arraweelo waxay billowday inay olole adag qaaddo waxayna ku baraarujisay dumarkii beesha in ay hawsha naaguhu hayaan ay joojiyaan muddo saddex maalmood ah una daayaan hawshaas ragga. Waxay soo jeedisay taladaas iyadoo markaas u arkaysay haddii codsigeeda laga yeelo inuu raggu aad ugu mashquuli doono hawsha guriga iyo daryeelka

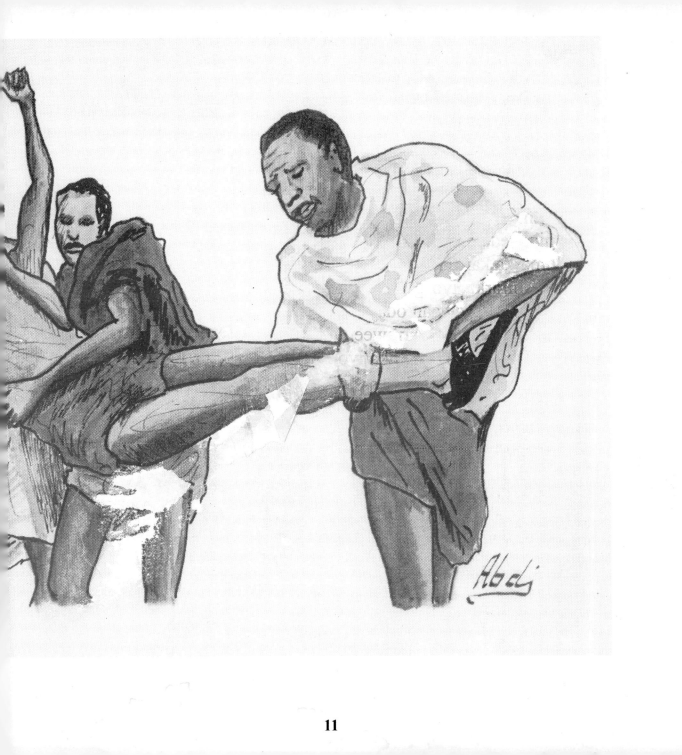

carruurta. Waxay diyaarisay shirqool sidii hubka raggu haysto gacantooda u soo geli lahaa. Gabdhihii beeshu waxay yeeleen taladii Arraweelo waxaana hawshii reerka looga siibtay raggii. Arraweelo oo ahayd qof aad u garaad badan waxay fulisay qorshihii ay talada iyo xukunka kula wareegaysay waxaana u hirgalay afgembigii ay muddada dheer ka soo shaqaynaysay. Waxay gacanta ku dhigtay dhammaan hubkii beesha yaalay . Afgembigii ay Arraweelo diyaarisay sidaas buu ku rumoobay waxayna gacanta ku dhigta awooddii iyo arrinkii raggu horay u lahaan jiray. Markii qorshaheedii u hirgalay oo ay hanatay madaxninadii dalka waxay ammar ku bixisay in dhammaan ragga la wada dhufaano oo xiniinyaha laga siibo, kii diidanaya la dilo. Arraweelo waxay go'aankaas adag u qaadatay iyadoo ka cabsi qabtay in maalin maalmaha ka mid ah mid ku soo baxo oo ka tuuro saldanada ay xoogga iyo xeeladda ku hanatay. Jabkaas ayaa raggii markaas ku dhacay waxayna ka dhigtay waxay dhufaanto iyo wax ay gawrac ugu jiiddo. Muddo aad u dheer ayuu arrinku sidaas ahaa taladii ragguna waxay noqotay, " Allahyow muxuu noqon ninkii awrka lacagta siistay" oo waxay galeen af-libaax!.

Arraweelo iyo Oday-Biiqe

Oday-Biiqe wuxuu ahaa oday da'weyn oo waxgarad ah nasiib wanaag wuxuu ka fakaday dhufaankii ragga lagu soo rogay wuxuuna u carary duurka, halkaas uu ku noolaan jiray kaymaha muddo badan. Oday-Biiqe aad buu Arraweelo u necbaa cadaadiska ay ragga ku soo

rogtay darteed wuxuuna had iyo jeer aad uga digtoonaa inuusan marna gacanta u soo gelin Arraweelo. Sidoo kale Arraweelo iyaduna aad bay uga warqabtay inuu odaygaasi ka baxsaday waxayna ku haysay baadigoob isdabajoog ah. Muddo badan ayey askarteeda duurka u dirtay si loo soo qabto oo loo dhufaano, iyadoo u arkeysay inuu xukunkeeda khatar ku yahay. Muddo badan markii ay askartii baadigoob ugu joogeen ayey ugudambayntii heleen isagoo kaymaha ku dhexdhuumanaya. Askartii waxay u sheegeen in boqoraddu raadinayso oo ay gacanteeda ku simi doonaan, waxayna ku yiraahdeen, " Soo kac waxaan kuu geynaynnaa Arraweello oo muddo dheer ku raadinaysay!".

Oday-Biiqe dhulkii baa la wareegay markii ay askartu khabarka gaarsiiyeen, wuxuuna ka codsaday inaan habarta waalan gacanta loo gelin. Wuxuu ciidanka u sheegay inay u baahanyihiin qof waxgarad ah oo iyaga ka waayo aragsan oo ay la tashadaan marka ay iyaga xujayso. Dood adag kaddib waxay askartii go'aan ku gaareen inay iska daayaan oo ayna Arraweelo gacanta u gelin. Waxay ku yiraahdeen, "Kayntaada si dhuumaal ah isaga noolow markii arrini nagu

14

cuslaato ayaan kula soo xiriiri doonaa, Loogow looba jooge ayey arrini ku dhammaatay". Askartii iyagoo gacmomaran ayey ku soo noqdeen Arraweelo waxayna u sheegeen inay meel kasta kaymaha, buuraha iyo webiyada ka baadigoobeen waxbana soo waayeen. Waxay intaa ku dareen waxaa suuragal ah in odaygaas beri hore waraabe gaajaysan kaynta ku cunay. Arraweelo jawaabtaas aad ayey uga xanaaqday waxayna isugu dartay askartii canaan, hanjabaad, hiif iyo huruuf. Waxay tiri, " Oday-biiqe waa noolyahay welina kaymaha ayuu ku jiraa, wuxuuna igu yahay halis" . .

Dhigdhexo qaanso roobaad

Arraweelo sida ay jeclaan jirtay waxay ka qayb gashay dagaallo badan oo ay guulo wax-ku ool ah qaar badan ka soo hoysay. Dagaaladaas mid ka mid ayaa waxaa dhacday inay guul badan iyo libin ka keentay, waxayna askarteedii u sheegtay inay maanta si fiican u dabbaaldegayso. Waxay ammar ku bixisay in loo dhiso dhig-dhexo dheerarkeedu la egyahay qaanso roobaad oo ay ka hoos dusto. Arrintaas waxay ahayd mid askarteeda aad ugu adag oo ayna aqoon u lahayn laakiin nasiibdarro amarkeeda ma jabin karaan, wayna ku khasbanyihiin inay yeelaan. Iyaga oo taladu ka wareersantahay ayaa mid iyaga ka mid ahaa soo jeediyey inay Oday-Biiqe u tagaan oo talo waayeel ay maanta u baahiqabaan!.

Sidiiba islamarkiiba lagu dhaqaaqay, waxayna soo aadeen duurkii odaygu ku dhuuman jiray. Cabbaar markii la raadiyey kaddib ayaa meeshii ay maalintii hore kula kuulmeen geed agtiisa ah ugu yimaadeen xilli barqo ah. Waxay u sheegeen xujadii Arraweelo u soo dirtay. Oday-Biiqe isagoo faraxsan ayuu ku yiri, " Miyaana idin oran waxaad u baahan doontaan oday waxgarad ah oo idin ka khibrad dheer?". Madaxa ayey wada ruxeen, waxayna yiraahdeen adiga ayaa naga toosnaa. Oday-Biiqe wuxuu kula taliyey askartii dhufaanayd ee Arraweelo inay ku noqdaan oo waysdiistaan inay siiso jaangooyada ama naqshadda qaanso roobaadka si ay ugu dhisaan mid dhig-dhexo dhererkeedu la egyahay. Waxay ku noqdeen Arraweelo oo ay weydiisteen naqshad si dalabkeeda loo fuliyo. Waa yaab iyo amakaag ayaa yiri rag aan xiniinyo qabin carrada kuma noola? iyadoo la yaabban sida ay xujada u fureen!. Maalintaas kaddib waxay askartii bilaabeen sidii ay u badbaadin lahaayeen Oday-Biiqe, waxayna la yaabeen garaadkiisa xeesha dheer iyo waayo aranimadiisaba. Waxay Oday-Biiqe kaynta dhexdeeda uga dhiseen waab har qabow, waxayna ugu keeni jireen cunno iyo biyo si qarsoodi ah. Marka geeddiga la galo oo meel kale loo guurayo Oday-Biiqe waxay u sheegi jireen meesha loo socdo. Isaguna si qarsoodi ah ayuu ula guuri jiray isagoo aad isu ilaalinaya. Marka ay geeddiga tahay, Arraweelo xarunteeda oo dhan way la guuri jirtay, inta geeddiga lagu jirana waxay fiiro gaar ah u yeelan jirtay hadba ratiga cabaada oo fariista iyadoo tuhun ka qabtay in ratiga fariistaa sido lafo rag oo culus (lafihii Oday-Biiqe). Oday-biiqe sidaas ayuu muddo dheer kaga nabadgalay Arraweelo.

SHEEKADA 5aad:

Harag labada docba dhogor ku leh

Arraweello waxay weligeed tuhunsanayd oo cabsi ka qabtay in maalin maalmaha ka mid ah lagu soo bixi doono oo laga kala tuuridoono saldanada ay hanatay waxayna sii kordhisay

xujooyinkeedii. Waxay isugu yeedhay marlabaad askarteeda oo dhan inta ay shirweyn u qabatay, waxayna tiri, " Waxaan doonayaa maanta in aad ii keentaan harag xoolaad oo labada dhinacba dhogor ku leh? Waxayna hadalkeedii ku dartay iyadoo hanjabaysa, "Waan ogahay in dad waxgarad ah idin ku jiraan oo xujadaas furi kara!". Xujadaas waa ku adkayd askarteeda waxayna yeeleen sidii hore oo kale oo waxay si qarsoodi ah ugu tageen Oday-Biiqe marlabaad si uu talo ugu biiriyo. Waxay u sheegeen in Arraweelo maanta ku amartay inay u keenaan harag xoolaad oo labada dhinacba dhogor ku leh. Oday-biiqe wuxuu markaas ku jawaabay, " U geeya habarta waalan dheg dameer iyadaa labada dhinacba dhogor ku lehe". Askartii iyagoo aad u faraxsan ayey sidii yeeleen waxayna u geeyeen Arraweelo dheg dameer. Arraweelo oo yaaban oo madaxa ruxaysa ayaa markaa tiri, "Waa yaab iyo amakaag, yaa yiri carrada wax xiniinyo qaba ma joogaan?".

Arraweelo iyo Gabadheedii

Sida la sheegay markii ay Arraweelo ku talisay in ragga beesha oo dhan la wada dilo waxay ku dartay raggaas la dilay ninkeedii iyada oo ka tuhun qabtay in maalin maalmaha ka mid ah uu ku sameeyo afgembi oo xukunka iyo saldanada kala wareego. Dabadeed waxay Arraweelo yeelatay uur kaddib waxayna dhashay gabar aad u qurux badan sida hooyadeed oo kale. Gabadhii markii ay weynaatay waxay noqotay gabar ka duwan hooyadeed oo kalgacayl iyo naxariis badan. Raalli kama ahayn sida hooyadeed ragga u la dhaqmi jirtay iyo cadaadiska ay ku soo rogtay. Nasiibdarro arrintaas gabadhu waxba kama qaban karin oo lafaheeda ayey uga cabsan jirtay. Oday-biiqe oo markaas aad u da'weynaa muddo dheerna kaynta ku dhuumanayey ayaa ku tashaday inuu mar dhalo wiil soo dila Arraweelo oo ragga badbaadiya. Oday-Biiqe iyo gabadhii ay Arraweelo dhashay sidaas bay ugu kulmeen kaynta si qarsoodi ah. Oday-Biiqe wuxuu gabadhii u sheegay sababta ku kalliftay dhuumashadiisa inay tahay cadaadiska iyo gumaadka hooyadeed ku soo rogtay raggii oo dhan. Wuxuu intaa u raaciyey in ragga iyo dumarkuba isu baahan yihiin oo ay yihiin ul iyo diirkeed midna uusan noolaan karin kan kale la'aantiis. Wuxuu kaloo intaas ku daray ilaa Aadan iyo Xaawo inuu taranka dadku isdabajoog ahaan jiray oo sidaas u soo taxnaan jiray ayna hadda muhiim tahay in talada qalloocan ee hooyadeed wax laga

beddelo. Dood dheer kaddib waxy isku afgarteen inay si qarsoodi ah isuguursadaan oo ubad wada dhalaan, tarankii aadamigana dib u soo celiyaan. Muddo kaddib ayey Arraweelo aragtay in gabadheedu uur leedahay , waxayna ku tiri iyadoo aragagax iyo naxdin ka muuqato, " Naa yaa baas oo kuu soo baxay!, naa xaggee nala ka soo galay?". Gabadhii iyadoo dhinac ka faraxsan dhinaca kalena ka baqaysa ayey ku tiri hooyadeed , " Yaa baas oo adiga kuu baxay hooyo markii aad adigu i dhalaysay". Arraweelo jawaabtaasi way ka degi weyday maskaxdeeda waxayna ku tiri gabadheedii,

" Ku bishaarayso inaan gawrac ku jiidi doono waxa aad siddid haddii uu ina rag noqdo". Maalintaas kaddib waxaa aad u xumaaday xiriirkii ka dhaxeeyey labadooda. Muddo kaddib bay gabadhii wiil dhashay, Arraweelo oo muddadaas sugaysay ayaa markaas ku tiri, " Naa ila soo gaar nacabka yar aan birta saaree isaga iyo ina arag araggooda waa necbahaye!". Gabadha oo wax garad ahayd ayaa isku dayday sidii ay wiilka uga badbaadin lahayd ayeydiis, waxayna ku tiri, "Hooyo ii daa wiilka inta uu ka fadhi baranayo kaddibna sida aad doonto ka yeel". Arraweelo waa ay ka yeeshay codsigeedii markaas waxayna u sheegtay inay dili doonto marka uu fadhi barto . Muddu kaddib markii wiilkii fadhi bartay ayey Arraweelo ku tiri gabadheeda, " Hadda waakaas wiilkii fadhi bartaye ii keen aan nacabka yar bireeyee". Gabadhii waxay mar labaad hooyadeed ka codsatay inay wiilka u dayso inta uu afbarad ka noqonayo oo uu hadaaqa iyo hadalka hooyanimo baranyo". Waan yeelay inta uu hooyo ka baranayo, laakiin ku tasho inuusan noolaan doonin muddadaas kaddib.

Wiilkii waa koray wuxuuna bartay hadalkii, Arraweelo oo sugaysay fursaddaas ayaa aragtay yarkii oo hooyadiis la hadlaya oo ku hadaaqaya hooyo. Arraweelo waxay markaas tiri, " Naa hadda wiilkii waa hadal bartaye ii keen aan qudha ka jaree, nolol dambe uma

harine". Hooyo gacaliso wax yar u kaadi inta uu ka socod baranayo ayey gabadhii mar kale hooyadeed weydiisatay. Arraweelo oo ku daashay baryada gabadheeda ayaa mar kale haddana sidaas ku aqbashay codsigeedii, waxayna intaas u raacisay inaysan baryo dambe ya yeeli doonin. Yarkii waa sii koray, waana socod bartay, guriga afartisa dhinac buu isaga dhexgooshaa. Arraweelo waxay aragtay inuu yarku soo korayo, waxayna maalin maalmaha ka mid ahayd ku tiri gabadheeda, " Nacabkii yaraa hadda socod baray, nolol dambana uma harin ee ii keen aan gawracee isgaga iyo qayrkiisba waan necebahay araggoodee". Gabadhii waxay bilowday mar kale inay diyaariso tab yarku ku badbaado waxayna tiri, " Hooyo gacaliso, wiilku hadda waa inoo ciidan oo maqasha ayuu inoo raacaa ee u kaadi inta uu ariga inoo raaci doono". Arraweelo sidaas bayna markaas ku deysay wiilkii iyadoo farta qaniinsan. Muddo kaddib wiilkii si fiican ayuu u sii koray wuxuuna ku qaybay raacista ariga. Gabadhiina waxay sii badisay tuugmadii ay hooyadeed ku beerlaxawsanaysay, waxayna mar kale ku tiri hooyadeed, " Hooyo wiilku ha sii noolaado inta uu ku fillaan doono raacista geela". Arraweelo waa oggolaatay in wiilku ayaamo kale sii noolaado wuxuuna noqoday nin xoog badan oo ku filan raacista geela iyo xoolaha kale oo dhan. Gabadhii baa haddana hooyadeed sasabo hor leh ugu dhaqaaqday, waxayna ku tiri; " Hooyo macaan ha dilin wiilka intuu waran iyo gaashaan qaad ka noqonayo oo uu innaga dhicin karo cadowgeenna faraha badan". Arraweelo waxay ku jawaabtay

sidan; "Wiilku waa nin weyn wakhtigan hadda la joogo, waa run inuu xoolaha si fiican ugu filan yahay, laakiin gaashaan qaadnimadiisa doonimaayo, maxaa yeelay hadda wixii ka dambeeya aniga iyo xukunkayga ayuu halis ku yahay ee la soco waa markii ugu dambaysay kimis dambe uu calaliyo". Muddo kaddib wuxuu wiilkii noqday nin weyn oo hana qaad ah, wuxuuna qaadan jiray laba waran iyo gaashaan weyn oo ka samaysnaa saan wiyileed, nin dagaal foodda gelin karayna ma jirin. Wiilku wuu iskaga tegay reerkii oo kaynta ayuu iska xulay markuu ogaaday kaddib in ayeyediis necebtahay oo u jeelan tahay dilkiisa. Arraweelo markii ay ka warheshay in wiilkii fakaday aad bay uga xumaatay arrinkaas, waxayna ku calaacashay, " Alla hoogay oo ba'ay bal garaad xumidayda maxaan u deysanayey inta uu intaas la ekaanayey, maxaan mar horeba birta u saari waayey, alla way oo way illayn doqoni calaf ma leh, aniga ayaa isdhigay meeshaas, alla ciil badanaa".

Geeridii iyo Dardaarankii Arraweelo

Arraweelo waxay ku amartay askarteedii koromada ahaa inay kaynta xulaan oo ay soo qabtaan wiilka ka fakaday ee sida nacasnimada ah ay ugu seeto-dheeraysay noloshiisa kaasoo hadda khatar weyn ku ah

xukunkeeda. Waxay amar adag ku bixisay in si degdeg ah loo soo qabto. Ina Arraweelo wiilkeedii farriin iyo digniin bay u dirtay in la raadinayo waxaana ka mid ahaa farriimaheedii; "Wiilkaygiiyow hooyo, weli kuuma aana sheegin ninka aabbahaa yahay waxaana la sugayey wakhtiga ku habboon arrintaas. Xilligiina hadda ayaa la joogaaye bal sidaa ula soco. Aabbahaa waa oday waxgarad ah oo la yiraahdo Oday-Biiqe, wuxuuna ku nool yahay kaymaha, waana oday aad u da'weyn. U tag oo isu sheeg inaan hooyada ahay, isbartana oo weydiiso wixii talo iyo waano iyo habkii aad ku badbaadi lahayd. Sidii buu yeelay wuxuuna baadigoob ugu dhaqaaqay sida uu aabbihiis kula kulmi lahaa. Nasiib wanaag waa la ishelay wuxuuna u sheegay farriintii hooyadiis soo gaarsiiyey iyo inuu wiilkiisii yahay. Oday-Biiqe in cabbaar ah ayuu fakaray wuxuuna yiri, " Wiilkaygiyow muddo dheer baan sugayey fursaddan qaaliga ah. Aabbe inaad garaybka maruun istaagto muddo aad u dheer baan dhawrayey waa Eebbe mahaddi hadda waxaynnu nahay laba nin. Inakstoy Arraweelo ayeydaa tahay xaq waalidnimana mudantahay haddana waa habar inkaar qabta oo raggii waxay ka dhigtay waxay gummaaday iyo wax ay dhufaantay sabab la'aan iyo xukun jacayl awgeed ". Sidaas darteed waa lagama maarmaan in talada dalka xoog lagaga qabto oo nin waxgarad ah loo dhiibo hoggaanka dalka iyo dadkaba. Hadda orod oo ceelka xooluhu ka cabbaan agtiisa ka dhiso ardaa weyn oo dugsoon. Farriin u diro ayeydaa si nabad iyo heshiis aad u gaartaan. Kuna talogal inaad dhagarto. Qaado labadaas waran iyo gaashaankaas, markii ay kuu timaaddana fariisi ardaaga, iskana dhig markasta inaad tahay nin nabad iyo wanaag doonaya. Wakhtiga ku habboona kaga dhufo waranka wadnaha qarkiisa si ay markiiba u naafowdo. Waxaad kaloo aabbe ogaataa in askarteeda dhufaanan iyo dumarkaba isugu jira ay necebyihiin Arraweelo oo aysan naxariis iyo jacayl

midna u hayn. Markii aad waranka ku hubsato haddii ay "ba'ay ba'ay ka catawdo, ogow maandhe inay wuxu naag liidata tahay oo waxba iska dhicin karin". Haddiise ay , " Way oo way ku catawdo ogow in wuxu rag yahay oo ay iska kaa dhicinayso". Markaas ku tumaati waranka oo ku celceli ilaa ay qudhu ka baxayso. Waayahay aabbe , taladaas waan qaatay buu wiilkii ugu jawaabay aabbihiis. Sidaas buu wiilkii ku ambabaxay, Oday-biiqe wuxuu wiilkii ku sagootiyey duco iyo dardaaran wuxuuna yiri, " Guulayso maandhow waynnu xoroobi doonaaye". Arraweelo fariintii markii loo geeyey waxay ku tashatay in wiilka ay ayeyda u tahay kula kulanto meeshii ballanku ahaa iyada oo iska dhigaysa qof ergo iyo maslaxad doon ah laakiin go'aankeeda dhabata ah uu ahaa inay kedis ku qabato oo islmarkiiba qudha ka jarto. Wiilkuna sidaas oo kale wuxuu isna ku tashaday inuu waran beerka kaga hubsado habarta waalan, "Rag waa isgurayaa keebay guushu raaci!". Arraweelo waxay askarteedii ku amartay inay kaynta xulaan, iyaduna ay u sii tegayso wiilka kaddibna askarteedu si kadis ah ugu soo galaan dabadeedna garba duub loo xiro wiilkan xoogga isbiday halkaasna mindida lagu saaro. Wuxuu wiilku ka war helay in askartii Arraweelo si qarsoodi ah duurka ugu jiraan oo shirqool loo diyaariyey, marka si aan loo dagin ayuu guntiga dhiisha isaga dhigay oo si fiican ugu diyaar garoobay inaan gacanta looga horrayn. Arraweelo oo ahayd qof aad u cuslayd sida la sheegay ayaa iyadoo iska laafyoonaysa soo gashay ardaagii wiilku fadhiyey. Wiilkii oo aad u digtoonaa baa isla markiiba warankiisii baalxaafka ahaa beerka kaga jiiday. Naflaacari darteed waxay ku catowday, " Hoogay oo ba'ay, hoogay war isoo gaara". Wiilkii waran dambe uma celi

Arraweelo waxaa ku fillaaday kii ugu horreeyey oo dhumucdiisa iyo awooddisaba isugu geeyey. Askarteedii oo kaynta dhabbacan oo amar ka sugaya Arraweelo ayuu markaas u tegay wuxuuna ku yiri, " Orda oo habarta waalan aasa, innaga wax colaad ah oo innaga dhaxaysa ma jirtee". Sidii bayna askartii iyagoo murugaysan ku aaseen boqoraddii maalintaas noloshu ugu dembaysay, waxayna u dhiseen taallo dheer oo lagu xasuusto. Wixii rag ahaa ee carrada ku noolaa markaas ayaa ishaynwaayey waxaana ka batay farxad, raynrayn iyo damaashaad. Islamarkiiba waxay caleemo qoyan saareen wiilkii oo ay u doorteen inuu beesha hoggaamiyo oo taliska la wareego. Oday-biiqe oo fursaddaas aad u sugayey baa dhuumashadii ka soo baxay, isagoo indhihiisa ilmo ka qubanayso oo farxad iyo damaashaad la dabbaaldegaya, wuxuuna noqday la taliyaha wiilkiisa. Sidaas baana mar labaad raggi ku hanteen hoggaankii talada iyo xukunkii beesha. Sidoo kale dumarkii beeshuna aad iyo aad bay uga murugoodeen geerida ku dhacday Arraweelo iyo sidii ay taladu ugu caynwareegtay dumarka oo muddo dheer xukunka dalka haystay. Qaar badan oo dumarka ka mid ahaa baa markaas ku calaacalay, " Tolow muxuu noqon xaalkayagu waa yaab iyo amakaag oo dhabanno hays baa ka soo haray".

Dardaarankii Arraweelo

Muddadii ay Arraweelo xukunka dalka haysay aad waxay ugu dadaashay in haweenka ciidanka u ahaa ayna xiriir la yeelan ragga, waxayna haweenkaas u dejisay xeer aad u adag oo ay ku dhaqmaan. Qofkii xeerkaas jebiyana si fiican bay u ciqaabi jirtay. Waxaana ka mid kuwan hoos ku xusan:

Xeerka **1aad:** wixii aad yeeli doontaan dumarow,diida marka hore.

Xeerka **2aad:** gardarro ogaada, oohin ku dara garawshiyo aad hesheene.

Xeerka **3aad:** ina rag dantiis ha ugu quminina hagar la'aan.

Xeerka **4aad:** cudud rag isu geeya, calafkiisana kala dhawra.

Xeerarkaas oo ka mid ah suugaanta aan qornayn ee ku saabsan Arraweelo waxay ku kala baahsanyihiin bulshooyinka Soomaalida ee ku kala dhaqan gobollo kala duwan.

DHAMMAAD

36